好奇寶寶就是我！

阿光小芸日常的哦哩呱啦 ③

穿衣服囉！

我不要我不要，
啊——

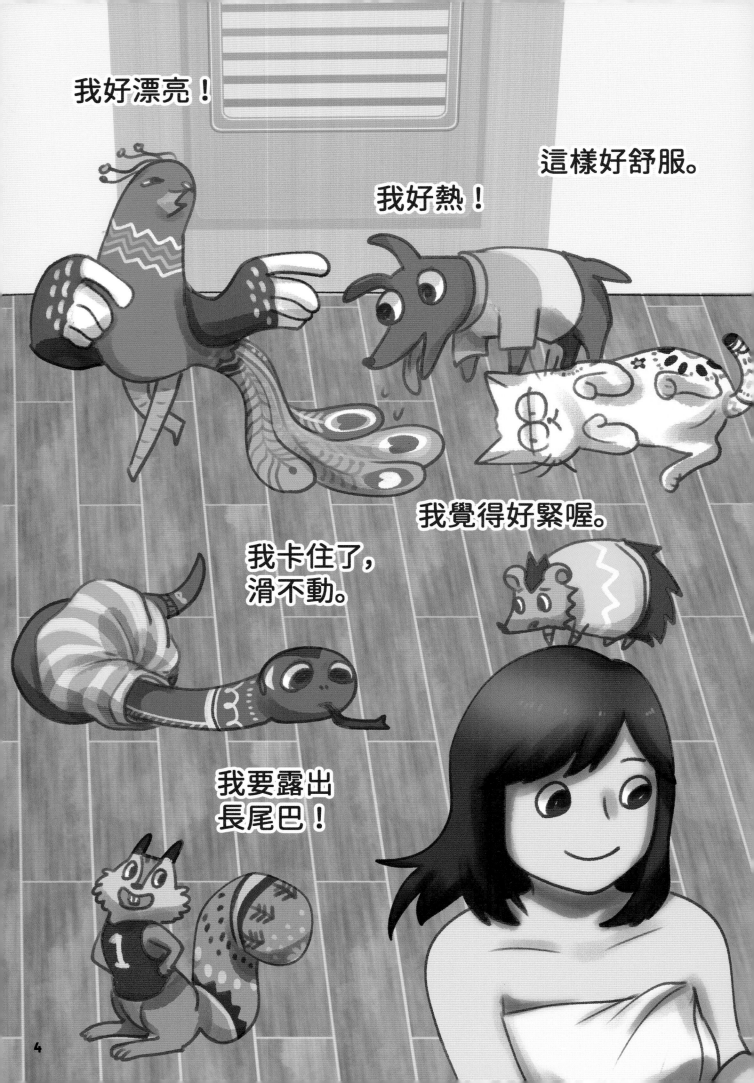

來穿衣服囉，
我要抓你們囉！

啊——

這是妹妹
做的兔子。

你要聞聞看嗎？

你看！
我的大便！

因為甲蟲的
食物是樹汁,

所以牠只會尿尿,
不會大便。

我有喝水,但是為什麼尿尿的顏色是黃色?

尿尿會把身體不需要的東西帶出來,所以會有不一樣的顏色。

我要去尿尿。

我先!

我要去看糞金龜尿尿。

我們假日去開心農場找找看。

有大大的角的
是男生，是公的。

那牠有小弟弟嗎？

有啊，牠有
陰莖。

那牠後面黑黑的
是什麼？

是睪丸。

牠們為什麼疊在一起？

牠們在交配。

牠們準備生小寶寶。

什麼是交配？

甲蟲疊高高，
我也要疊高高！

媽媽一起來！

我們一起疊高高！

好奇寶寶就是我！

荷光幼兒性教育繪本／阿光小芸日常的嘰哩呱啦❸

好奇寶寶就是我！

總策畫：呂嘉惠
　作者：王嘉琪、陳姿曄、楊舒聿（依筆劃順序排列）
　繪圖：享畫有限公司
美術編輯：邵信成
文字編輯：林沛辰、陳美如

　發行人：呂嘉惠
　出版者：荷光性諮商專業訓練中心
　　電話：02-2918-1060
　　地址：新北市新店區中華路60巷2弄3號3樓
荷光官網：http://www.beone.tw/
出版日期：2022年2月／初版二刷／2000套
　　印刷：上海印刷廠股份有限公司／02-22697921~3
　　ISBN：978-986-99512-3-4（精裝）
　　定價：390元（全套定價：1950元）

Printed in Taiwan